KB076772

한은숙, 강미자, 어성애, 백향기
이정아, 권숙희, 장명화, 남궁기순

상상나래
Book Publishers

차 례

프롤로그

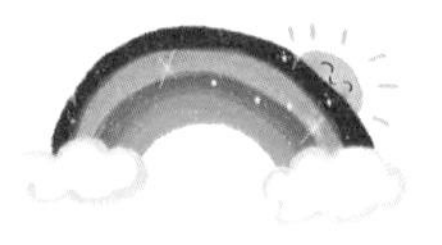

나래PBL교육연구소의 기획으로 모음, 자음 말놀이 동시집에 이어 제 3탄 의태어 말놀이 동시집을 만들게 되었습니다. 그림책 연구가, 아동문학가, 시인, 유아교육가, 동화구연가 등 다양한 경험을 가진 작가들이 참여하여 큰 도움을 주었습니다.

아이들과 함께한 현장에서의 경험이 재미있는 말놀이 동시집 제작의 씨앗이 되었다고 생각합니다. 아이들이 좋아할 수 있는 의태어를 찾기 위해 아이들의 행동을 관찰하고, 아이들이 웃음을 터뜨리는 곳으로 기웃거리며 소재를 찾고 다듬어 글로 엮었습니다.

의태어를 찾아보면서 우리나라 말의 재미를 한층 더 느낄 수 있었습니다. 어렸을 때 노래 부르던 노랫소리도 흥얼거리게 되고, 사물마다 신기한 말이 재미를 더 높여 주는 것을 알게 되었습니다. 단어를 강조하다 보니 말의 의미를 쉽게 이해하게 되고, 리듬 있는 단어에 흥겨운 어깨춤이 절로 나오게 됩니다.

어린아이일수록 의태어는 말문을 트이게 하는 효과가 높습니다. 모르는 말에 제스처가 곁들여지면 쉽게 알게 되듯이, 아이들에게 의태어는 매우 중요한 언어 전달 매체이기도 합니다. 우리말을 더욱 재미있고 아름답게 살려내는 말이 의태어입니다. 말을 통해 사물을 관찰하게 하고 자연스럽게 지각 능력도 키우게 됩니다.

좋아하는 신현림 시인의 〈연〉은 기분 좋은 웃음이 나오게 합니다.

실실실
웃으며 내가 실뭉치를 굴리니까

솔솔솔
솔바람처럼 풀려갔다.
쏼쏼쏼
어느새 실뭉치는 다 풀려 하늘로 날아갔다.

이 간단한 동시는 연날리기하는 아이들의 신나는 모습을 그려냅니다. 동시는 아름다운 감정과 생각을 전달하며 동심으로 다가가 아이들에게 자주 들려주어야 할 말입니다. 말놀이는 언어 자체에서 놀이성을 가지고 즐기는 언어 놀이입니다. 말놀이를 주도했던 최승호 작가의 재미에 초점을 둔 연결형 말놀이는 어른이 봐도 재미있게 읽히는 구조로 되어 있습니다. 말의 의미 요소를 활용하여 다양한 변화를 주면서 어린 독자들의 흥미를 끌어들이는 어휘적 확장은 너무나 매력적인 요소입니다.

특히, 아이를 키우는 부모님들은 아이들과 함께 말을 주고받으면서 주의 집중할 수 있고, 새로운 말을 만들어내면서 상호작용하며 참여시킬 수 있다는 것이 말놀이 동시의 역할입니다.

의태어는 운율과 반복을 잘 활용합니다. 같은 소리나 비슷한 소리로 반복하면서 운율을 느끼다 보니 짧고 간단한 말놀이에도 재미가 있고, 간단한 손짓에도 흥미가 높아집니다. 손짓과 몸짓의 움직임을 흉내 낸 말, 세상의 온갖 소리를 흉내 내는 말, 의태어와 의성어의 쓰임은 어린 독자들에게 사랑받고 널리 쓰이고 불리기를 기대합니다. 흥얼거리며 노래 부르는 동요처럼 재미있는 의태어, 의성어의 흉내를 내는 말들을 7개의 자음과 쌍자음 5개에서 찾아 표현해 보았습니다. 우리나라 말의 재미를 느낄 수 있는 것은 다양한 말놀이를 흥미롭게 표현할 수 있을 때라고 생각합니다. 아이들을 위해 총 80편으로 구성된 의태어 말놀이 동시를 통해 마음이 편안해질 수 있기를 바랍니다. 말놀이의 살아있는 언어로 어린이들의 언어 발달을 돕고, 놀이로 즐기는 가장 좋은 언어적 표현이 되며, 상상력과 창의적인 활동을 끌어내길 기대해 봅니다.

새들은 날아다니고 물고기는 헤엄을 치고
아이들은 놀이를 한다.
– 개리 랜드래스 –

나래PBL교육연구소 남궁기순 소장

한은숙

가천대학교에서 박사 공부를 했고, 동서울대학교 겸임교수, 가천대학교 미래교육원 외래교수를 했습니다. 현재는 어린이집 대표로 일하고 있으며, 공저로 동시집 『꿈꾸는 산책』, 『모음 말놀이 동시집』, 『자음 말놀이 동시집』, 『의성어 말놀이 동시집』 등이 있습니다.

ㄱ

가득가득
간질간질
갸우뚱 갸우뚱
구불구불
기웃기웃

ㄴ

나른나른
나풀나풀
넘실넘실
넙적넙적
노릇노릇

가득가득

큰 옹기그릇
깊은 옹기그릇
넓은 옹기그릇
장독대에 모인 그릇들
그릇들이 가득가득

배추김치, 나박김치, 무김치
고추장, 된장, 국간장, 간장
건강한 먹거리가 가득가득

냉장고가 부럽지 않아
치즈, 요구르트 없어도
나는 튼튼해

간질간질

살랑살랑 봄바람 타고
먼 길 떠나는 민들레 홀씨들

들판에서 쉬어가고
꽃밭에도 쉬어가고
개울가에도 쉬어가고
컴컴한 동굴에도 쉬어가지

간질간질
간질간질
에이치!
내 코를 간지럽히는 게 누구지?

갸우뚱 갸우뚱

나를 보는 강아지
갸우뚱갸우뚱

무슨 소리가 나니?
무슨 냄새가 나니?
무엇이 궁금하니?
먹고 싶은 것이 있니?

아직도
갸우뚱갸우뚱
무엇이 궁금한지

갸우뚱갸우뚱
대문 밖을 쳐다본다
산책 시간이 되었구나

구불구불

비온 뒤 길가에
구불구불 지렁이
오늘은 해님 따라 외출했지

썩은 나뭇잎 먹고
흙도 먹고
똥도 먹고
즐거운 땅속 여행가

여기저기
구불구불
건강한 땅이 되라고
부지런한 땅속 여행가
지금도 땅속 여행 중

기웃기웃

때구르르 때구르르
동그란 물건이
숲속으로 굴러온다

큰 곰도 기웃기웃
무엇이 굴러오지?

여우도 기웃기웃
누가 굴러오지?

너구리도 기웃기웃
어디서 오는 거지?

아하
숲속에 나들이 온 아기가 공놀이하는구나!

나른나른

어슬렁어슬렁
기다란 코 흔들며
산책 나온 아기 코끼리

바나나 먹고
사과 먹고
따스한 햇살에 나른나른해

나뭇잎 먹고
나무껍질 먹고
살랑이는 바람에 나른나른해

눈이 스르르
입이 쩌억
한잠 자고 산책할까?

나풀나풀

나풀나풀
나풀나풀
연두색 옷을 벗고
얼룩무늬 호랑나비가 날아가네

나풀나풀
나풀나풀
보라색 도라지 꽃잎에게 속삭이고
분홍색 코스모스 꽃잎에게 속삭이고
빨강색 백일홍 꽃잎에게도 속삭이네

나풀나풀
나풀나풀
노랑색 호랑이 꽃잎 찾아 떠날 거야

넘실넘실

넘실넘실
너른 들판에 산들바람이 춤을 춘다

넘실넘실
큰 파도가 달려온다
작은 파도가 달려온다
산들바람이 춤을 춘다

허수아비도
참새도
메뚜기도
다 함께 산들바람 타고
넘실넘실 춤을 춘다

넙적넙적

넙치가 제일 넙적넙적할걸??

넙적넙적한 물고기 넙치
납작납작한 물고기 가자미
넓적 납작하고 입이 큰 물고기는 도다리

납작납작한 눈이
왼쪽에 있으면 넙치
오른쪽에 있으면 가자미
도다리도 오른쪽에 눈이 있지

바다 밑 모랫바닥에
납작납작 엎드리고
알록달록 카멜레온처럼 변하는
내가 제일 넓적한 넙치지

노릇노릇

넓은 들판
벼 이삭들이 노릇노릇

은행나무에
은행이 노릇노릇

밤나무에
밤송이가 노릇노릇

감나무도
매실나무도
가을 하늘도 노릇노릇
가을은 색깔 마술사

강미자

늘기쁜지역아동센터 대표, 다문화사회 전문가, 전문 상담사, 인성교육.
미술치료 강사, 지역사회 활동가 , 지역시민단체 공동대표(전).
저서로는 『우리는 희망 메신저다』, 『나는 강사로 살기로 했다』, 『생각하는 대로 살게 하는 출판지도사』, 『거꾸로 갈매기』 등이 있습니다.

ㄷ

달달달
달랑달랑
데굴데굴
도란도란
도리도리
동글동글

ㄹ

라온
랑랑랑
루루루루
룰루랄라

달달달

강아지가 달달달 돌며
목이 아파
고개 숙여 쌕쌕
달달달 보채는 아기
머리는 뜨끈뜨끈
몸은 달달달
에취!
감기 걸렸네

달랑달랑

감나무에 감이 달랑달랑
대추나무에도 붉은 알이 달랑달랑
뒤뚱뒤뚱 오리가
날개를 퍼덕이며 노란 감을 쳐다보고
대추를 먹을까 고민하다가
하늘 보며 침을 꿀꺽
달랑달랑 그냥 하나만 줘

데굴데굴

다람쥐는 도토리를 모아
하나, 둘, 하나, 둘 바구니에 담고
데굴데굴 굴러가는 도토리를 잡아
하나, 둘, 하나, 둘 다람쥐 주머니에 쏙
데굴데굴 굴러가는 도토리
다람쥐 겨울 양식
데굴데굴 흐르지 않게 꼭 잡아

도란도란

참나무가
도란도란 말하면
모두가
고개를 끄덕끄덕
단풍나무가
도란도란 말하면
모두가
정말 예쁘다.

도리도리

우리 집 도마뱀
이름은 구름이다
구름아 밥 먹자~
고개를 흔들며 도리도리
안 먹겠다고?
그럼 물이라도 마셔
안 마셔?
또 도리도리한다
왜~
나 지금 급해
화장실 가야 해

동글동글

동글동글 바퀴들이 나들이 가는 날
자동차 바퀴가 앞장서서 가요
자전거 바퀴도 동글동글 열심히
유모차 바퀴는 동글동글 귀엽게
휠체어 바퀴랑 안전하게 손 흔들며
동글동글 굴러가요

라온

노란 금잔화 왕관 쓰고
라온 라온
빨간 국화 옹기종기 모여
라온 라온
보라색 채송화 작은 발로
라온 라온
가을꽃 자랑에 모두 즐거워
라온은 순우리말 즐거워 라네

랑랑랑

엄마랑 아빠랑 나랑
입술을 쑥 내밀고
엄마 입술 빨간색
아빠 입술 주황색
내 입술은 분홍색
누가 누가 더 예쁜가!
우리 모두 랑랑랑

루루루루

아기사슴이 큰 눈망울로
엄마를 찾아요
눈이 많이 내려 불안해
엄마를 불러요
엄마 사슴 소리 내어 루루루루~
아빠 사슴 고개 들어 루루루루~
아기사슴 엄마 아빠 안전하다고
소리 내어 루루루루

룰루랄라

라푼젤 라푼젤
마녀의 목소리에
긴 머리를 내려뜨리며
룰루랄라

라푼젤 라푼젤
고운 목소리
왕자님 눈이 동그랗게
룰루랄라

라푼젤 라푼젤
눈먼 왕자님이랑 결혼하고
궁궐에서 눈뜬 왕자님과
룰루랄라

어성애

중앙대학교에서 박사 학위를 받고 아동문학가, 작가로 활동하고 있습니다. 유아교육을 전공해서 어린이집원장과 중앙대학교 페스텝연구소 수석연구원이다.
동시집 『꿈꾸는 산책』, 『아가는 궁금하다』, 『천사의 언어』, 『우리 아이들』, 『가을이 오는 소리』, 『모음 말놀이 동시집』, 『자음 말놀이 동시집』 등 다수

ㅁ

말랑말랑

멈칫멈칫

물렁물렁

뭉게뭉게

미끌미끌

ㅂ

바들바들

바사삭 바사삭

반질반질

부슬부슬

빙글빙글

말랑말랑

아기손이 말랑말랑
엄마손이 말랑말랑
손잡고 가자

언니손이 말랑말랑
엄마손이 말랑말랑
손잡고 가자

우리가족 모두 말랑말랑
예쁜손 귀한손 사랑해

멈칫멈칫

꽃이 멈칫멈칫
줄기가 멈칫멈칫

멈칫멈칫 꽃잎이
멈칫멈칫 흔들리며

멈칫멈칫 생각하며
꽃이 피네

멈칫멈칫 하며
향기가 나네

물렁물렁

물주머니 물렁물렁
물렁물렁 흔들며
함께 놀자

물렁물렁 물주머니
움직이며 물렁물렁
신나게 놀자

뭉게뭉게

파란 하늘에 구름이
뭉게뭉게 두둥실 떠있네

뭉게뭉게 하얀구름
아기 얼굴이 둥실둥실

초록 공원에 오색풍선
뭉게뭉게 올라가네

구름이 뭉게뭉게
멀리 멀리 도망가네

미끌미끌

비누방울이 미끌미끌
손가락 사이로 미끌미끌

미끌미끌 간지러워
사이좋게 미끌미끌

손바닥 위로 미끌미끌
신나게 미끌미끌

미끌미끌 간지러워
즐겁게 놀아보자

바들바들

바들바들 추위에
바들바들 손이
바들바들 떨고 있네

바람이 바들바들
옷이 흔들려
바들바들 날아가네

바사삭 바사삭

바사삭 바사삭
달콤한 사탕이

바사삭 바사삭
맛있는 사탕봉지

바사삭 바사삭
새콤한 젤리가

바사삭 바사삭
맛있는 젤리봉지

맛있는 달콤 새콤이
함께 나눠먹자

반질반질

우리방 반질반질
형아방 반질반질

엄마방 반질반질
누나방 반질반질

휴우 이러다 쓰러지겠네
너무 깨끗한 우리집

부슬부슬

부슬부슬 눈이 내리면
하얀 땅을 만드네

부슬부슬한 눈이 내리면
눈 싸움 하자

부슬부슬한 눈이 내리면
눈송이 만들자

부슬부슬한 눈이 내리면
눈사람 만들자

빙글빙글

빙글빙글 돌아가는 바람개비
후후 왼쪽으로 불면
빙글빙글 오른쪽으로 가고

빙글빙글 돌아가는 바람개비
후후 오른쪽으로 불면
빙글빙글 왼쪽으로 가요

후우후우 빙글빙글
내 맘대로 빙글빙글
돌아가는 바람개비

백향기

아동학을 전공한 문학박사이며 어린이집 원장이다. 아이들의 질문을 함께 고민하고 해결해 가며 생각을 키워가는 과정이 즐겁고 행복하다. 이 아이들이 자라서 살아갈 세상을 상상해 보며 미소 짓는다.
공저로 아동학관련 교재 다수와 『꽃이 향기와 표정으로 말하다』, 『여행에도 온도가 있다』, 『모음 말놀이 동시집』, 『자음 말놀이 동시집』 등이 있다.

ㅅ

사르르
생글생글
성큼성큼
소복소복
싱글벙글

ㅇ

알록달록
어슬렁어슬렁
올망졸망
우쭐우쭐
이러쿵저러쿵

사르르

앗! 차가워라

빨간색 아이스크림이
입 안에서 사르르

하늘색 아이스크림이
입 안에서 톡 톡 톡 하며 사르르

아이스크림은 요술쟁이
아이스크림은 장난꾸러기

생글생글

아빠는 나만 보면
눈을 동그랗게 하고
언제나 생글생글

엄마도 나만 보면
입을 살며시 움직이며
언제나 생글생글

나도 덩달아 생글생글
생글생글 참 예쁘다
우리 가족의 새 이름은
생글생글 가족

성큼성큼

성큼성큼 건널 수 있을까?

손잡이를 잡고 흔들다리를 건너보자
하나 둘 셋…
천천히 움직여봐

흔들다리가 흔들려요
천천히 건너며 움직임을 느껴봐

어느새
나의 걸음은 성큼성큼
아주 빠르게 성큼성큼

소복소복

함박눈이 내려와
나뭇가지 위에 소복소복 쌓이고
지붕 위에도 소복소복
놀이터 시소 위에도 소복소복

자동차 위에도
버스 위에도
자전거 위에도
하얀 눈이 소복소복

집 앞 소복소복 쌓인 눈을
내 손에 가득 담으니

내 손에도 하얀 눈이
소복소복 쌓였네

싱글벙글

신나는 수건 줄다리기 놀이
수건을 마주 잡고
친구 얼굴 보며 싱글벙글

수건을 힘껏 잡아당기며 친구와 힘겨루기
내게로 한번 당겨오고
친구에게로 한번 당겨가며 싱글벙글

서로 밀고 당기다
수건을 끌어당겨 친구를 껴안아주기
친구야 사랑해
서로 얼굴 마주 보며 싱글벙글

알록달록

알록달록 종이마을에
종이접기 대회가 열렸네

누가 찾아왔을까?
동물 친구들 안녕!
종이로 옷을 접어서 입어볼까?

알록달록 옷을 입은
동물 친구들의
멋진 뽐내기 대회

어슬렁어슬렁

나무가 우거진 숲 사잇길을
아빠랑 걸어가요

아빠가 뒷짐지고
어슬렁어슬렁 걸어가면
나도 아빠 따라
어슬렁어슬렁 걸어가요

아빠도 어슬렁어슬렁
나도 어슬렁어슬렁
아빠 모습 따라 하면서
난 기분이 좋아요
아빠 닮은 내 모습
난 흐뭇해요

올망졸망

작고 고만고만한 것들이
올망졸망 줄지어 있는 동물 인형들

코끼리 코 빙글빙글 게임 시작
강아지 인형을 잡아야지

코끼리 코를 하고 빙글빙글
한 바퀴, 두 바퀴, 세 바퀴…
몸이 휘청거리네

반대쪽으로 달려가
올망졸망 줄지어 있는
강아지를 잡았어요

우쭐우쭐

오늘은 나를 뽐내기 하는 날
신나게 노래 부르며
어깨가 으쓱으쓱
나의 마음이 저절로 우쭐우쭐

위로 아래로
왼쪽으로 오른쪽으로
두 팔을 쭉 뻗어
동그라미도 크게 만들며
친구의 마음도 우쭐우쭐

하나 둘 셋, 하나 둘 셋…
즐거운 악기 연주하며
자랑스러워하는 우리
신이 나서 우쭐우쭐 우쭐우쭐

이러쿵저러쿵

아침에 선생님을 만나면
신이 나서 이러쿵저러쿵

놀이하며 친구에게도
재잘거리며 이러쿵저러쿵

이러쿵저러쿵 이러쿵저러쿵

교실은 이러쿵저러쿵
아이들 소리로 가득하다

이러쿵저러쿵하며
아이들은 즐겁게 자란다

이정아

나래PBL교육연구소 연구교수이며 책으로 놀고 책으로 소통하는 그림책지기입니다.
저서 『양말공』, 『시장에 가면』, 『괜찮아, 정이야』, 『가장 듣기 좋은 말』, 『황금박쥐』, 『12시간 25분 이다의 여행』, 『자음 말놀이 동시집』 등이 있습니다.

ㅈ

조마조마 코딱지

조잘조잘

좍

주삣주삣

줄렁줄렁

ㅊ

차곡차곡

차차

착

출렁출렁

치렁치렁

조마조마 코딱지

코가 움찔움찔
에 에취!

피융

나왔다
코딱지

앗!
친구 등에 붙었다

가슴이 조마조마
손가락도 조마조마
휴~
뗐다!

비비적비비적
둥글둥글

휴지통 속으로
쏙

골인!

조잘조잘

콜록콜록
사자가 감기 걸렸대

만들자!

뭘?
김치찌개

사자!

뭘?
김치 사자
돼지고기 사자
대파 사자

원숭이가 조잘조잘
여우도 조잘조잘
까마귀도 조잘조잘

김치 송당송당
돼지고기 숭덩숭덩
대파 숭숭
자박자박 자글자글

사자야
밥 먹자

좍

눈이 번쩍
코가 벌름
입이 쩌억

음식이
줄줄이 줄줄이
좍
펼쳐져 있어

눈으로
좍 훑고

코로
좍 맡고

입으로
좍 맛본다

주삣주삣

아악!
엄마, 쥐!

쥐?
어디 어디

머리카락이 주삣주삣
털이 주삣주삣

아니 아니
다리에 쥐났어

줄렁줄렁

타자 타자
배 타자

바람 따라 줄렁줄렁
물결 따라 줄렁줄렁

계속 제자리네
아, 어떡해!

저어 저어

저만치서 저어새가
저어 저어 하며

왼쪽 오른쪽
부리로 휘휘 젓는다

차곡차곡

추수하세
추수하세

사마귀는
쓱쓱싹싹 차곡차곡
낫으로 벼 베고

거미는
친친 차곡차곡
거미줄로 벼 묶고

장수풍뎅이는
으랏차차 차곡차곡
벼 쌓고

방아깨비는
콩콩 차곡차곡
위로 아래로
방아 찧는다

차차

우당탕탕
에구머니, 또 야!
도대체 언제 철들래

철아,
제발 철 좀 들어라

가만히 듣고 있던 아빠
철이야 차차 들겠지

가만히 듣고 있던 철이
차차?

아니, 지금 들거야
철이가 두리번두리번

아, 찾았다
클립!

엄마, 나 철 들었어
선생님이 클립도 철이랬어

착

느릿느릿 아기 달팽이
올망졸망
바위에 착

뭐하니?
갉아먹고 있어

뭘?
바위

바위를!

커다란 껍데기를 가지려면
단단한 껍데기를 가지려면

올망졸망
바위에 착

바위 먹자
바위 먹자

샤~아악 샤~아악

출렁출렁

출렁출렁
바다에

출렁출렁
배 타고

출렁출렁
출렁다리 지나

출렁출렁
산을 넘어

출렁출렁
꿈속으로
풍덩!

치렁치렁

강둑에 수양버들
귀신놀이한다고
치렁치렁

초록머리카락
치렁치렁

나도 나도 하며
바람이 달려온다

흔들흔들 치렁치렁
윙윙 치렁치렁

아기 오리
덜덜덜
엄마 오리 날개 밑으로
쪼르륵
숨었다!

권숙희

2018년 샘문에서 시 부문 신인문학상 수상 후 시와 동시 몇 편의 동화를 썼으나 여전히 쓰는 일보다는 낭송에 더 흥미를 느끼는 시낭송가, 작가입니다. 나래PBL교육연구소에서 연구 및 강의 활동을 하면서 '힐링낭독회' 를 이끌고 있습니다.
저서로 『삶의 품격, 시낭송으로 꽃피다』, 『엄마라는 바다』, 『나, 거인 되면 어쩌지?』, 『방구뿡 삼총사』, 『오복이』, 『나도 할머니 있거든!』, 『모음 말놀이 동시집』, 『자음 말놀이 동시집』 등을 썼습니다.

ㅋ

카랑카랑
콕콕
콩콩
쿨쿨
쿵더쿵쿵더쿵

ㅌ

터벅터벅
털렁털렁
툴툴
퉤퉤
티격태격

카랑카랑

싸울 때
카랑카랑
쇳소리 나고

발표할 때
카랑카랑
똑소리 나고

콕콕

까치 한 마리
사과나무에 앉아
콕 콕
까치 여러 마리
사과나무에 앉아
콕콕 콕콕 콕콕
빨갛고 큰 사과만
콕콕 콕콕

이놈들!

할아버지
탁 탁 지팡이 내리치시며
고함치신다

콩콩

짝꿍은 요술쟁이
나를 쳐다만 봤는데
가슴이 콩콩 뛴다

짝꿍은 진짜찐짜 요술쟁이
내 이름만 불렀는데
마음속은 쿵쾅쿵쾅
난리가 났다

쿨쿨

쿨쿨 아빠 옆에
쌔근쌔근 아가 옆에
껌벅껌벅 강아지도
크르르 잠이 든다

쿵덕쿵 쿵덕쿵

찧자 찧자 방아 찧자
쿵덕쿵 쿵덕쿵 방아 찧자

하얀 가루 쌀가루로
울 아가 백일떡 만들어

동네방네 복 나누자
늴리리 늴리리 쿵더쿵
늴리리 늴리리 쿵더쿵

터벅터벅

탈래탈래 걷던 길
터벅터벅 걷는다
재잘재잘 걷던 길
꽉 다물고 걷는다

빗금 쳐진 시험지에
엄마 얼굴 떠올라
잔뜩 흐린 내 마음
소나기 좍좍 내린다

아, 벌써 집이네!

털렁털렁

오늘 처음으로
유치원에서 알림장 빠뜨렸다
– 아들, 내일부터는 꼭 챙겨

털렁털렁 우리 누나
버스에서 우산 두고 내렸다
– 또?

털렁털렁 우리 아빠
핸드폰 보며 걷다가 전봇대에 부딪쳤다
– 아휴, 내가 못 살아

누나와 난
털렁털렁 아빠 닮았나 보다

툴툴

– 툴툴
– 불만 있니?
– 아니요

– 툴툴 털어야겠다!
– 뭘요?
– 바지에 묻은 흙

– 툴툴 슬픈 기억은 떨쳐 버려!
– 어떻게요?
– 바람에 날려버리는 거지

퉤퉤

퉤퉤
안 돼 안 돼
아무 곳에나 침 뱉으면

퉤퉤
안 돼 안 돼
씹던 껌 길바닥에 뱉으면

그러나
내 동생 입속에
오물오물 수박씨는
퉤퉤 뱉어야 해

티격태격

내 말 맞고
네 말 틀리다고
티격태격 왁자지껄
누구 말이 맞을까

내가 네가 돼보고
네가 내가 돼보니
우리 서로 다를 뿐
틀린 것이 아니네

친구야 미안해
나도 미안해

장명화

보물을 찾는 아이들 대표, 나래PBL교육연구소 연구교수
사단법인 대한웅변인협회 교육총괄국장, 스피치지도사
동화구연가, 그림책놀이지도사, 독서토론논술지도사
공저로 『유성안다』, 『MSL스피치』, 『한여름 밤의 가출』, 『방구뽕 삼총사』, 『타임머신이 아그작아그작』, 전자책 『식구놀이 게임』, 『시간의 감옥』 등이 있습니다.

ㅍ

파드닥 파드닥

파릇파릇

팽팽

펄펄펑펑

폴짝 고개

ㅎ

하느작 하느작 흐느적 흐느적

헐레벌떡

후다닥 후다닥

흔들흔들

힐끗힐끗

파드닥 파드닥

주륵주륵 비가 그치면
졸졸졸 흐르던 냇물이 소리쳐요
촤르르 콸콸 콸콸콸

신이 난 냇물 소리에
자갈돌도 덩달아 신이나지요
또르르 콩콩 콩콩콩

신나는 노랫소리 바다에 전해지면
꼬리를 흔들며 누군가 돌아와요
파드닥 파닥 파드닥

너도 나도 온 가족 함께
냇물을 거슬러 집으로 돌아오지요
파드닥 파닥 파드닥

파릇파릇

아마도
세상에 처음 생겨난 색은
초록일거야!

아무것도 없는 세상에
씨앗 하나가
쏘옥! 머리를 내밀었어

잠깐!
하나가 아니야!

쏘옥! 쏘옥!
쏘옥 쏘옥 쏘오옥!
파릇파릇한 새싹들이
온 세상에 가득해졌어

이 세상에 처음 생겨난
파릇파릇한 색은
초록이었대!

팽팽

청군! 이겨라!
백군! 이겨라!

청군! 당겨라!
백군! 당겨라!

영차! 영차!

줄이 팽팽
머리가 팽팽
응원소리가 팽팽

뚝!
와르르
아이쿠 쿵!

줄이 그만 끊어졌대요
그래도 오늘은
신나는 운동회

펄펄 펑펑

펄펄 화를 냈더니
싸락눈이 펄펄 내려요

펑펑 울었더니
함박눈이 펑펑 내려요

펄펄 펑펑
눈이 내려서
속상한 내 마음도
포르르 내려 앉았어요

동글동글 굴려서
방실방실 웃는
눈사람을 만들 거예요

폴짝 고개

폴짝
한 번 넘으면 1센티

폴짝, 폴짝
두 번 넘으면 2센티

폴짝폴짝, 포~올짝
세 번 넘으면 3센티
키 크는 고개

아잉
키는 안 크고 귀만 커졌잖아!

아가!
키가 크려면
폴짝 고개에서 그만놀고
이제 그만 자자꾸나!

하느작 하느작 흐느적 흐느적

살포시 내려앉은 햇살 위에
살랑살랑 봄바람 불어오고
하느작 하느작 꽃잎 흔들리면
팔랑팔랑 윙윙 나비, 꿀벌 춤추네!

쨍쨍 따끔따끔 햇살 쏟아지면
팔랑팔랑 부채바람 일어나고
흐느적 흐느적 그늘찾는 친구들 머리위로
맴맴 매애맴 노랫소리 즐겁네!

헐레벌떡

어흥!
떡 하나 주면 안 잡아 먹지!
호랑이가 나타났어

나를 업고 저 산을 넘으면
맛있는 떡 하나 주마!

호랑이는 할머니를 업고
헐레벌떡 산을 넘었어

할머니 아들인 사냥꾼이
떡하니 기다리고 있었지

호랑이 이놈!
또 한 번 사람들을 괴롭히면
호랑이 떡을 만들어주마!

호랑이는 할머니를 두고
헐레벌떡 달아났대!

후다닥 후다닥

엄마의 퇴근시간!
후다닥 후다닥
게으름뱅이 언니 오빠가
바빠지지요

아빠의 퇴근시간!
후다닥 후다닥
요리여왕 우리 엄마가
바빠지지요

소풍가는 일요일 아침시간!
후다닥 후다닥
후다닥 후다닥

우리집 귀염둥이 나에요!
온 가족 깨우느라
바빠지지요

흔들흔들

흔들흔들 의자 위에 할머니
흔들흔들 커튼 뒤 창가에
흔들흔들 그네타는 손녀딸보며
이리오라 손짓해요

흔들흔들 가로등 불빛 아래
흔들흔들 검은봉투 하나들고
흔들흔들 다가오는 구부정한 그림자 하나
반갑게 두 팔 벌려요

힐끗힐끗

눈 돌아간다
힐끗힐끗
너무 궁금해서 그래요

눈 돌아간다
힐끗힐끗
너무 예뻐서 그래요

눈 돌아간다
힐끗힐끗
먼저 보고 싶어 그래요

눈 돌아간다
힐끗힐끗
살짝 부끄러워 그래요

새 교실 속 눈동자들 엄청 바빠요

남궁기순

유아교육을 전공하고 시인, 작가로 활동하고 있습니다. 나래PBL교육연구소 소장과 상상나래 출판사를 운영하며 그림책, 동화책을 만들고 있습니다. 『행복한 동행』, 『엄마를 위한 그림책 인문학』, 『영원한 껌딱지!』, 『네 귀는 특별하단다』, 『솔방울의 꿈』등 책을 펴냈습니다.
21년 샘문에서 시부문 신춘문예 '살만한 세상' 이 당선되었습니다.

ㄲ

깡충껑충

꿈틀꿈틀

ㄸ

따끈따끈

따따봉

ㅃ

뽀송뽀송

삐걱삐걱

ㅆ

썰레썰레

쓰담쓰담

ㅉ

쨍쨍쨍쨍

쩝쩝

깡충껑충

깡충껑충 잘 뛰니?
짧은 다리를 구부렸다 폈다
앉았다가 일어나며 펄쩍!
깡충껑충 꼬리 짧은 개구리

깡충껑충 잘 뛰니?
짧은 다리를 모으고
힘껏 솟구쳐 오르면서 펄쩍!
깡충껑충 짧은 다리 하얀 털 토끼

깡충껑충
깡충껑충
다 모여라, 누가 높이 오르는지 대 보자

꿈틀꿈틀

애벌레 한 마리 꿈틀
애벌레 두 마리 꿈틀꿈틀 기어오르고
애벌레 세 마리 꿈틀꿈틀꿈틀 기어 내려와

애벌레 네 마리 꿈틀꿈틀꿈틀꿈틀 몸을 비틀다가
한 마리 더 기어와
애벌레 다섯 마리 꿈틀꿈틀꿈틀꿈틀꿈틀 춤을 춰

애벌레 더듬이가 쏘옥
애벌레 번데기에 꼼틀 숨고
팔랑팔랑 호랑나비 날아가네

꿈틀꿈틀 팔딱팔딱 메뚜기랑 부딪혔네
어?
넌 누구니?
꿈틀꿈틀 흔들흔들 왕사마귀 두 마리!

따끈따끈

따끈따끈한 호빵이 나왔어요!
호빵 입에 물면
호호호 호빵

따끈따끈한 호빵 먹어봤니?
치즈 호빵
고추잡채 호빵
김치 호빵
흑임자 호빵
인절미 호빵
야채 호빵
팥 호빵
호호호 호빵

나랑 호빵 사러 갈래?
호호호 호빵 먹고 인증샷!

따따봉

따따봉 따봉!
나도 듣고 싶은 말
따따봉 따봉!

친구와 사이좋게 하하 호호
따따봉 따봉!

따따봉 따봉!
나도 좋아하는 말
따따봉 따봉!

먹고 놀고 튼튼하게 자라기만 해도
따따봉 따봉!

언제나 듣기 좋은 말
따따봉 따봉!

뽀송뽀송

뽀송뽀송 세탁기가 돌돌돌 돌돌돌
쉬지 않고 돌돌돌돌

뽀송뽀송 세탁기가 돌돌돌 돌면
우리 아기 이불도 뽀송뽀송
우리 집 멍멍이 모자도 뽀송뽀송
돌돌돌 돌돌돌 쉬지 않고 뽀송뽀송

뽀송뽀송 세탁기가 돌돌돌 돌돌돌
쉬지 않고 돌돌돌돌 잘도 돌아간다

※ 뽀송뽀송: 잘 말라서 물기가 없고 보드라운 모양

삐걱삐걱

아랫집 삐걱삐걱 구두 아가씨
윗집 삐걱삐걱 구두 아저씨

달 밝은 밤에 삐걱삐걱
구두 아가씨와 아저씨가 만났대요

부엉이 우는 밤에 삐걱삐걱
구두 아가씨와 아저씨 깜짝 놀랐대요

낡은 집 대문에서 삐걱삐걱
삐걱삐걱 아가씨와 아저씨 부리나케 도망갔대요

썰레썰레

커다란 코끼리가 흔들흔들
썰레썰레
나풀나풀 코끼리 귀 잡고
원숭이가 썰레썰레

엉덩이 큰 하마가 덩실덩실
썰레썰레
흔들흔들 하마 꼬리 잡고
개구리가 썰레썰레

※ 썰레썰레: 큰 동작으로 몸의 한 부분을 가볍게 잇따라 가로흔들다.

쓰담쓰담

우리 집에 쓰담쓰담 대장은 나야!
멍멍이 밥 잘 먹는다고 쓰담쓰담
침대 위에 곰돌이 인형 착하다고 쓰담쓰담
내 동생 똥 잘 눈다고 쓰담쓰담

나도 나도!
쓰담쓰담 해 주세요
밥도 잘 먹고
말도 잘 듣고 착하지요
내 동생보다 똥도 더 많이 누어요

나도 나도!
쓰담쓰담 해 주세요
우리 집 쓰레기 분리수거 대장!
머리를 반듯하게 쓰담쓰담

쨍쨍 쨍쨍

햇볕은 쨍쨍
우리 아기 울음소리 쨍쨍
햇볕은 뜨거운데
우리 아기 울음소리 귀가 먹먹해

쨍쨍 쨍그랑
햇볕이 쨍그랑 깨졌나?
아기 울음소리가 쨍쨍 울리나?
누가 더 센지 내기해 봐라

쟁쟁 징징 찡찡
아무리 들어도 우리 아기 울음소리가 최고야

쩝쩝

쩝쩝거리지 말라고 했지!
쩝쩝거리면 밥 안 준대?
배고프다 멍멍!

쩝쩝거리지 말라고 했지!
쩝쩝거리면 물 안 준대?
배 아프다 멍멍!

쩝쩝거리지 말라고 했지!
쩝쩝거리면 나 혼자 집 지켜야 해?
외롭다 멍멍!

상상나래 동시세상6

의태어 말놀이 동시집

발 행 일 2024년 2월 26일
지 은 이 한은숙, 강미자, 어성애, 백향기
이정아, 권숙희, 장명화, 남궁기순
기획관리 권숙희, 김기선
마 케 팅 박경숙, 이정아
편집총괄 장명화
펴 낸 이 남궁기순 **펴낸곳** 상상나래 **등록번호** 제2022-000051호
주 소 서울시 강동구 동남로81길 96, 501호
대표전화 02-441-7682
이 메 일 sangsangnarae@ssnbooks.com
I S B N 979-11-7195-023-2 73810

값 11,700원